D0795359

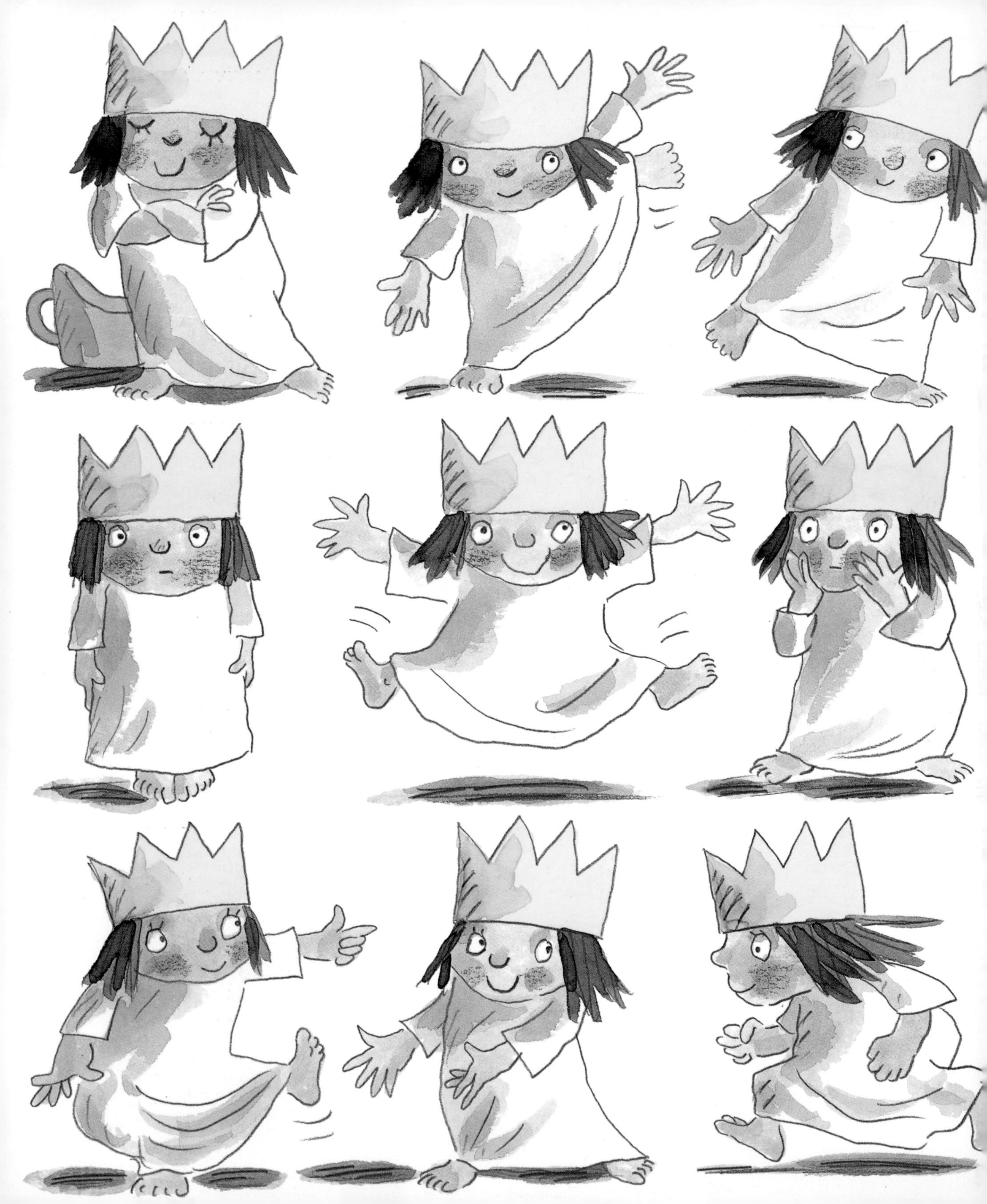

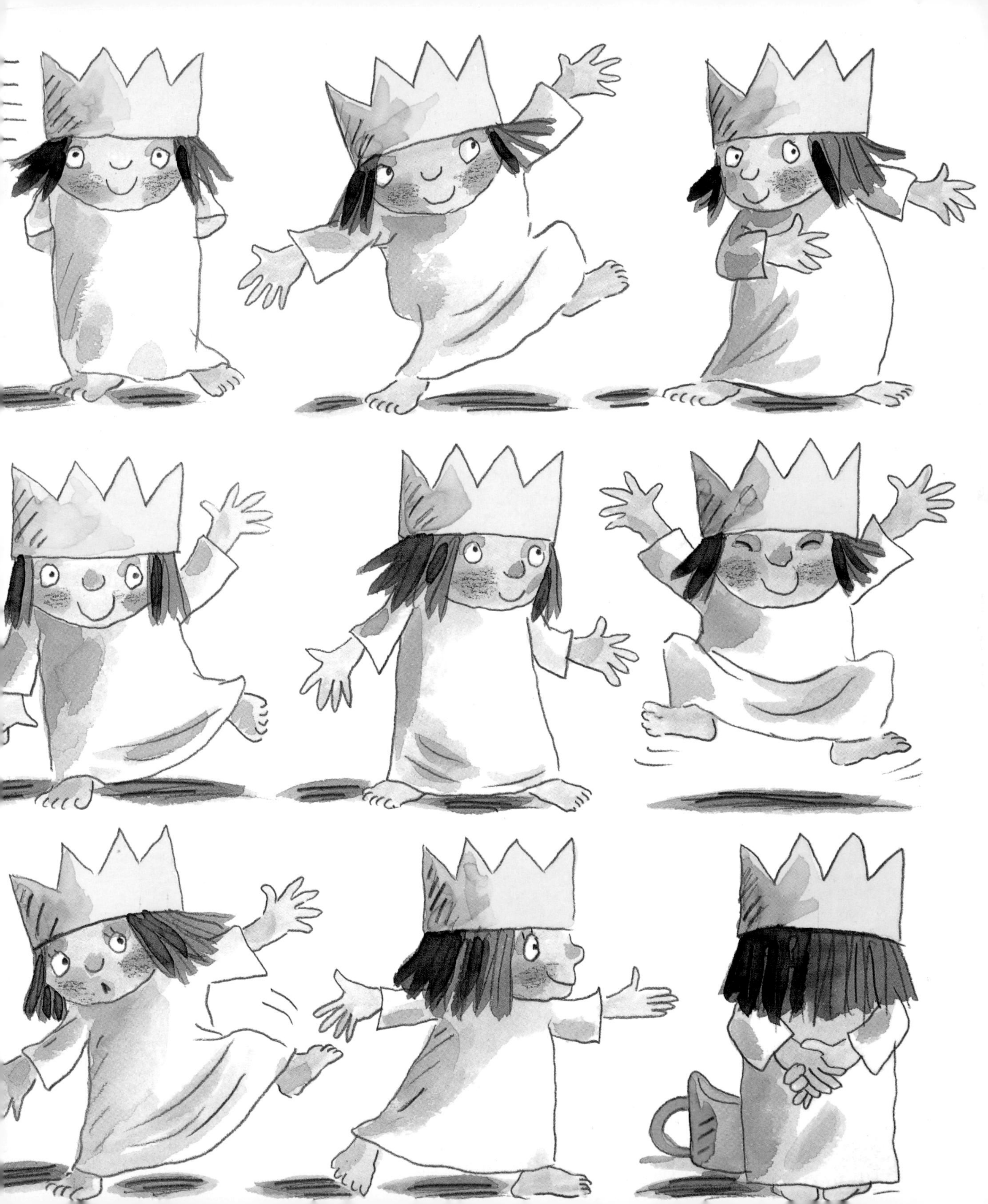

Cyfres y Dywysoges Fach

y llyfrau hyd yn hyn:

CHWAER RYDW I EISIAU

GOLCHA DY DDWYLO!

COLLI DANT

Cyhoeddwyd yn y Gymraeg yn 2003 gan
Carreg Gwalch Cyf.,
Ysgubor Plas, Llwyndyrys, Pwllheli, Gwynedd LL53 6NG.

Argraffwyd y gyfrol hon ar bapur glân o ddeunydd asidig.

Chwaer rydw i eisiau

Tony Ross
(addasiad Cymraeg: Myrddin ap Dafydd)

Carreg Gwalch Cyf.

‘Rydan ni’n mynd i gael aelod newydd yn ein teulu,’ meddai’r Frenhines.

‘O!’ atebodd y Dywysoges Fach. ‘Ydan ni’n mynd i gael ci bach?’

'Ddim o gwbwl!' meddai'r Brenin Mawr Caradog.
'Rydan ni'n mynd i gael babi bach.'

'Hwrê a da iawn wir,' oedd sylw'r Dywysoges Fach.
'Chwaer rydw i eisiau.'

'Efallai mai brawd bach gei di,' esboniodd Doctor Cwla. 'Nid ti sy'n dewis y pethau 'ma, wyddost ti.'

'Dw i ddim eisiau brawd,' meddai'r Dywysoges Fach.
'Mae brodyr yn drewi.'

‘Mae chwiorydd yr un fath,’ meddai’r Forwyn Ferona.
‘Weithiau, rwyt ti’n drewi’n OFNADWY.’

'Dw i ddim eisiau brawd,' meddai'r Dywysoges Fach.
'Mae brodyr yn hen bethau garw.'

‘Mae chwiorydd yr un fath,’ meddai Madog y Morwr.
‘Mae’r ddau’n forwyr PENIGAMP.’

‘Dw i ddim eisiau brawd,’ meddai’r Dywysoges Fach.
‘Maen nhw’n chwarae gyda’r teganau anghywir.’

‘Gall teganau brawd fod fel dy rai di yn union,’ meddai Mistar Medalau.

‘Wel,’ pwdodd y Dywysoges Fach.
‘DYDW I DDIM EISIAU BRAWD, A DYNA FO!’

‘Pam?’ gofynnodd pawb.
‘OHERWYDD CHWAER RYDW I EISIAU,’ meddai’r Dywysoges Fach.

Un diwrnod, aeth y Frenhines i'r ysbyty i gael y babi newydd.

‘Paid ag anghofio!’ gwaeddodd y Dywysoges Fach.
‘CHWAER RYDW I EISIAU!’

‘Beth os mai brawd gei di?’ gofynnodd ei chefnder.

'Fe wna i ei roi yn y bin,' atebodd y Dywysoges Fach.

Pan ddaeth y Frenhines adref o'r ysbyty, roedd y Brenin Mawr Caradog yn cario'r babi newydd.

'Deud "helo" wrth y babi newydd,' meddai'r Frenhines.
'O! Mae hi'n ddel,' meddai'r Dywysoges Fach.

'Nid hi ydi hwn,' meddai'r Brenin Mawr Caradog.
'Brawd sydd gen ti. Tywysog Bach.'
'Dwi ddim eisiau Tywysog Bach,' meddai'r Dywysoges Fach.
'Tywysoges rydw i eisiau.'

‘Ond mae gennym ni un Dywysoges Fach hardd dros ben yn barod,’
meddai’r Brenin Mawr Caradog a’r Frenhines.
‘PWY?’ gofynnodd y Dywysoges Fach.

'TI, WRTH GWRS!' meddai'r Brenin a'r Frenhines.

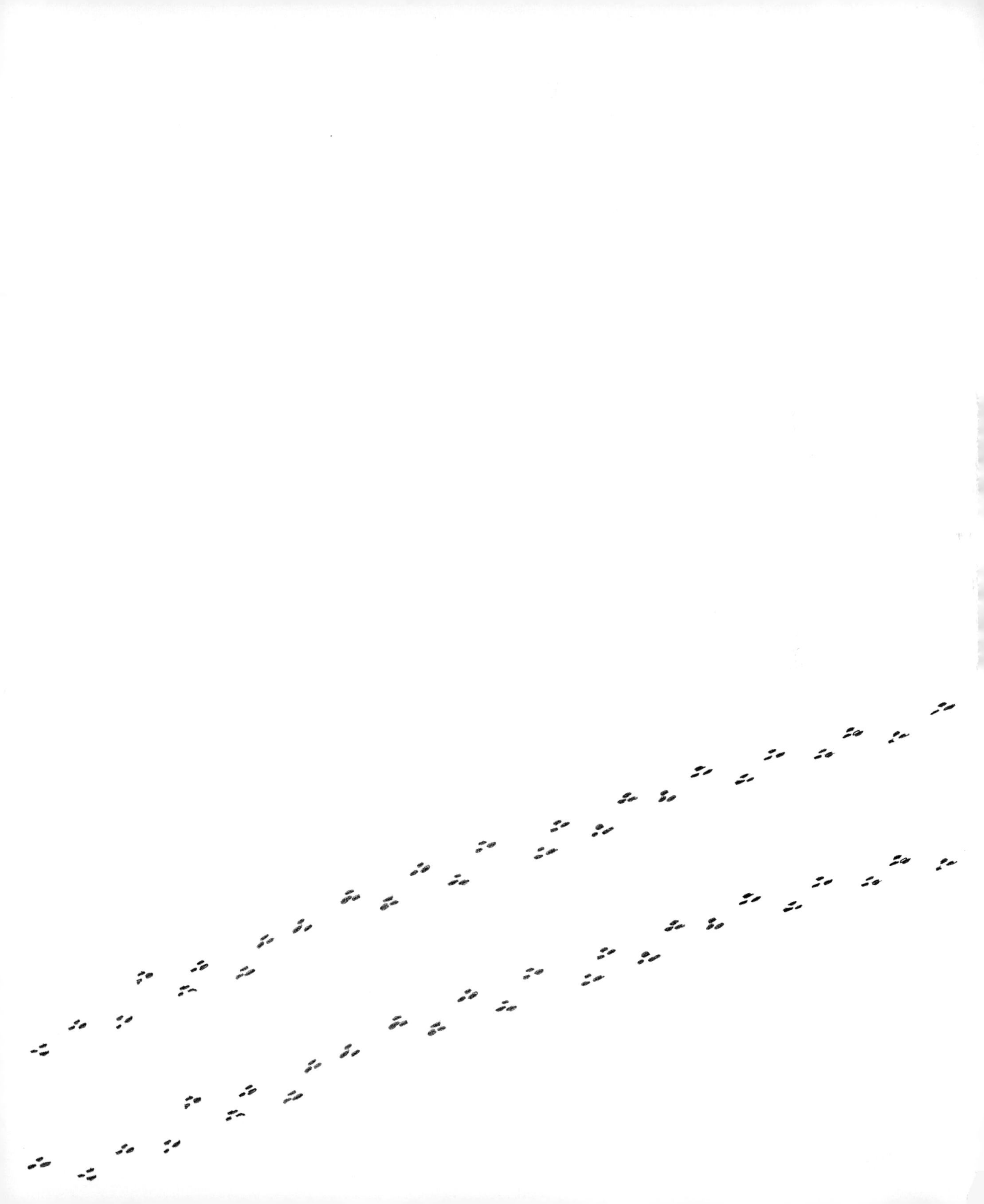

‘Ga i roi hwn i ’mrawd bach, gan fy mod i’n ferch fawr erbyn hyn?’ gofynnodd y Dywysoges Fach.